高貞碑

中國碑帖名品

［三十七］

上海書畫出版社

《中國碑帖名品》編委會

前言

中華文明綿延五千餘年，文字實具第一功。從倉頡造字而雨粟鬼泣的傳説起，歷經華夏子民智慧聚集、薪火相傳，終使漢字生生不息、蔚爲壯觀。伴隨著漢字發展而成長的中國書法，基於漢字象形表意的特性，在一代又一代書寫者的努力之下，最終超越其實用意義，成爲一門世界上其他民族文字無法企及的純藝術，并成爲漢文化的重要元素之一。在中國知識階層看來，書法是中國人『澄懷味象』、寓哲理於詩性的藝術最高表現方式，她净化、提升了人的精神品格，歷來被視爲『道』『器』合一。而事實上，中國書法確實包羅萬象，從孔孟釋道到各家學説，從宇宙自然到社會生活，中華文化的精粹，在其間都得到了種種反映，書法無愧爲中華文化的載體。書法又推動了漢字的發展，篆、隸、草、行、真五體的嬗變和成熟，源於無數書家承前啓後、對漢字美的不懈追求，多樣的書家風格，則愈加顯示出漢字的無窮活力。那些最優秀的『知行合一』的書法家們是中華智慧的實踐者，他們彙成的這條書法之河印證了中華文化的發展。

因此，學習和探求書法藝術，實際上是瞭解中華文化最有效的一個途徑。歷史證明，漢字及其書法衝破了民族文化的隔閡和時空的限制，在世界文明的進程中發生了重要作用。我們堅信，在今後的文明進程中，這一獨特的藝術形式，仍將發揮出巨大的力量。然而，在當代這個社會經濟高速發展、不同文化劇烈碰撞的時期，書法也遭遇前所未有的挑戰，這其間自有種種因素，而漢字書寫的退化，或許是書法之道出現踟躕不前窘狀的重要原因，因此，有識之士深感傳統文化有『迷失』、『式微』之虞。書法藝術的健康發展，有賴對中國文化、藝術真諦更深刻的體認，彙聚更多的力量做更多務實的工作，這是當今從事書法工作的專業人士責無旁貸的重任。

有鑒於此，上海書畫出版社以保存、還原最優秀的書法藝術作品爲目的，承繼五十年出版傳統，出版了這套《中國碑帖名品》叢帖。該叢帖在總結本社不同時段字帖出版的資源和經驗基礎上，更加系統地觀照整個書法史的藝術進程，彙聚歷代尤其是今人對不同書體不同書家作品（包括新出土書迹）的深入研究，以書體遞變爲縱軸，以書家風格爲横綫，遴選了書法史上最優秀的書法作品彙編成一百册，再現了中國書法史的輝煌。

爲了更方便讀者學習與品鑒，本套叢帖在文字疏解、藝術賞評諸方面做了全新的嘗試，使文字記載、釋義的屬性與書法藝術造型、審美的作用相輔相成，進一步拓展字帖的功能。同時，我們精選底本，并充分利用現代高度發展的印刷技術，精心校核，原色印刷，幾同真迹，這必將有益於臨習者更準確地體會與欣賞，以獲得學習的門徑。披覽全帙，思接千載，我們希望通過精心編撰、系統規模的出版工作，能爲當今書法藝術的弘揚和發展，起到綿薄的推進作用，以無愧祖宗留給我們的偉大遺産。

上海書畫出版社

簡介

《高貞碑》，全稱《魏故營州刺史侯高君之碑》。北魏正光四年（五二三）刻。正書，二十四行，行四十六字。有額，陽文篆書十二字。清乾隆年間出土於山東德州衛河第三屯。後孫星衍移置德州學宫，並題跋於碑陰，曰『嘉庆丙寅（十一年，一八〇六）之歲，王孝廉保訓告我，德州衛河第三屯，魏《高貞碑》出。』嘉慶十五年（一八一〇）復於碑陰後段摹刻所藏明拓秦《泰山刻石》殘存之二十九字。上世紀七十年代，碑石中間自上而下被鋸開，損字頗多，後經黏合，碑石今存山東石刻藝術館。此碑與同爲德州所出土之《高慶碑》及《高湛墓志》，並稱爲『德州三高』。碑文記述了高貞的生平事跡及顯赫家世。書法方勁峻整，筆勢暢達，在北朝碑刻中獨樹一幟，與《張猛龍碑》同屬北碑中之佼佼者。

今選用之本爲陳師曾舊藏清代嘉道間精拓本，有陳師曾題簽三條。整幅爲百年前舊拓。均爲朵雲軒所藏，皆係首次原色全本影印。

魏故營州刺史懿侯高君之碑

魏故驃騎將軍營州刺史高使君懿侯碑銘
君諱貞字羽真勃海脩人也其先蓋帝炎氏之苗裔昔在黃虞世為四嶽爰迄伯夷典禮于虞虞曰典朕
暨呂尚佐周克殷有大功於天下位為太師作侯齊國世□□絕□于東海其公族有高子者即其氏焉自茲已降冠冕
綖及世濟其偉不霣其名祖左光祿大夫勃海敬公純嘏所鍾或誕
文□□太后是為世宗武皇帝之外祖考安東將軍青州刺史莊公胄行有礼寬恭克讓郎
文昭皇太后之□二兄也君稟岐嶷之姿挺瑰瑋之質清暈發於載弄秀悟□乎齠齔黃中通理之名卓尔不羣之目固
已殊異公族見稱於匠□至於孝以事親則□華不□比其絜友于兄弟則常□無以方其咸敬讓著自閨闈信義行於
邦黨若夫秉心塞淵砥礪名教伏膺文武□□而成則纘軌於前脩罔殞於先達者矣雖綺襦紈袴英華於□許龍馬流
軍陸離於陰鄧而不以富貴驕人必以謙虛□業已是故先門識慕蹇步知歸我德如風物應如響弱冠以外戚令望除秘
書郎儀鱗閣而來儀騰名渠而或躍於是□客校文之□□飛鶴躍之間容止斯而可觀清風茲為已穆既而□離載朗
東朝始建挹撣脩陳瑾金必剖斧求□可師四尔□遷太子洗馬夙夜惟寅茲儲后仰數四德之美式揚三□□□功冏
禁聰坊亡有出其右也于時六宮□□□姪子□□□大兄因蹐華似以君姊有神衷淵閒拜為皇后君儀□□□不幸□□□□
尤白益擢曰損由□有□君退□之□□□淵燭者之思□然燕之涅其贍光集損幹之期匪朝伊暮而不幸□□□
廿有六以延昌三年歲次甲午□月己卯朔廿六日甲□遘疾卒於京師二宮悲□九族悼傷同位駿奔遐□必至□
天子更詔有司曰故太子洗馬高貞□業始茂□如□葉□緣而秀穎未實□彫夏□今宅兆有期宜家追□可□贈龍驤將
軍營州刺史以斧鉞儁其墓□所須悉仰本州營□臨□□又特給□園龍輔加謚曰□凡我僚舊爰及邦人咸以君生□□
玉質□美也勿着者成至慧□孝友□心□行也□□□□□□□以此終之以此始為可□而不録□來□聞焉
迺相與採名山樹碑墓道其□□
邦緒皇□□□□□□□四□□□□□□□世□龍光□茲□民不實其芳於鑠光□蠁□□戩馨□矣□□純嘏
斯屬或女或妹匪娥伊僕邠昭陽光我邦授山川降祉餘慶不已敬公之孫莊公之子如琇如瑩為山伊始人知其進
莫見其止古人有言實□難□於乎哉□終□□令□已謂無□□至禮孝友回心能久能敬爰始來儀濯纓觚沼翩羽
觴為其容皎皎方搏九霄載飛載鵠□□□何是以□□□□死□襄禮有加□□月□終英英符轄其文雖往其風可慕
玄石一刊清徽永鑄
大代正光四年歲次癸卯□□□□□□□□□

北魏高貞碑 藐園

北魏高貞碑 師曾

北魏高貞碑 師曾題

【碑額】魏故營/

州刺史／

懿侯高〈

君之碑〈

【碑文】魏故龍驤將軍營州／刺史高使君懿侯碑／銘。／君諱貞，字羽真，勃海／

四嶽：相傳爲唐堯之臣、羲和的四子，分管四方的諸侯，所以叫四嶽。漢孔安國等均認爲四嶽是一人。

《尚書·虞書》：『帝曰：「諮！四嶽，有能典朕三禮？」僉曰：「伯夷！」帝曰：「俞，諮！伯，汝作秩宗。夙夜惟寅，直哉惟清。」伯拜稽首，讓於夔、龍。帝曰：「俞，往，欽哉！」』這是關於帝舜命伯夷作秩宗之官的一段記載。結合碑文來看，此句全文大概是：『舜曰典朕（三禮），（僉曰伯夷）。』

黃唐：黃帝與唐堯的并稱。

倐人也。其先蓋帝炎／氏之苗裔，昔在黃唐，／是爲四嶽，爰逮伯夷，／受命於虞，舜曰典朕／

□□□□□□。暨吕／尚佐周克殷，有大功／於天下，位爲太師，俾／侯齊國，世世勿絶，表／

俾侯齊國：使封侯於齊國。俾，使。

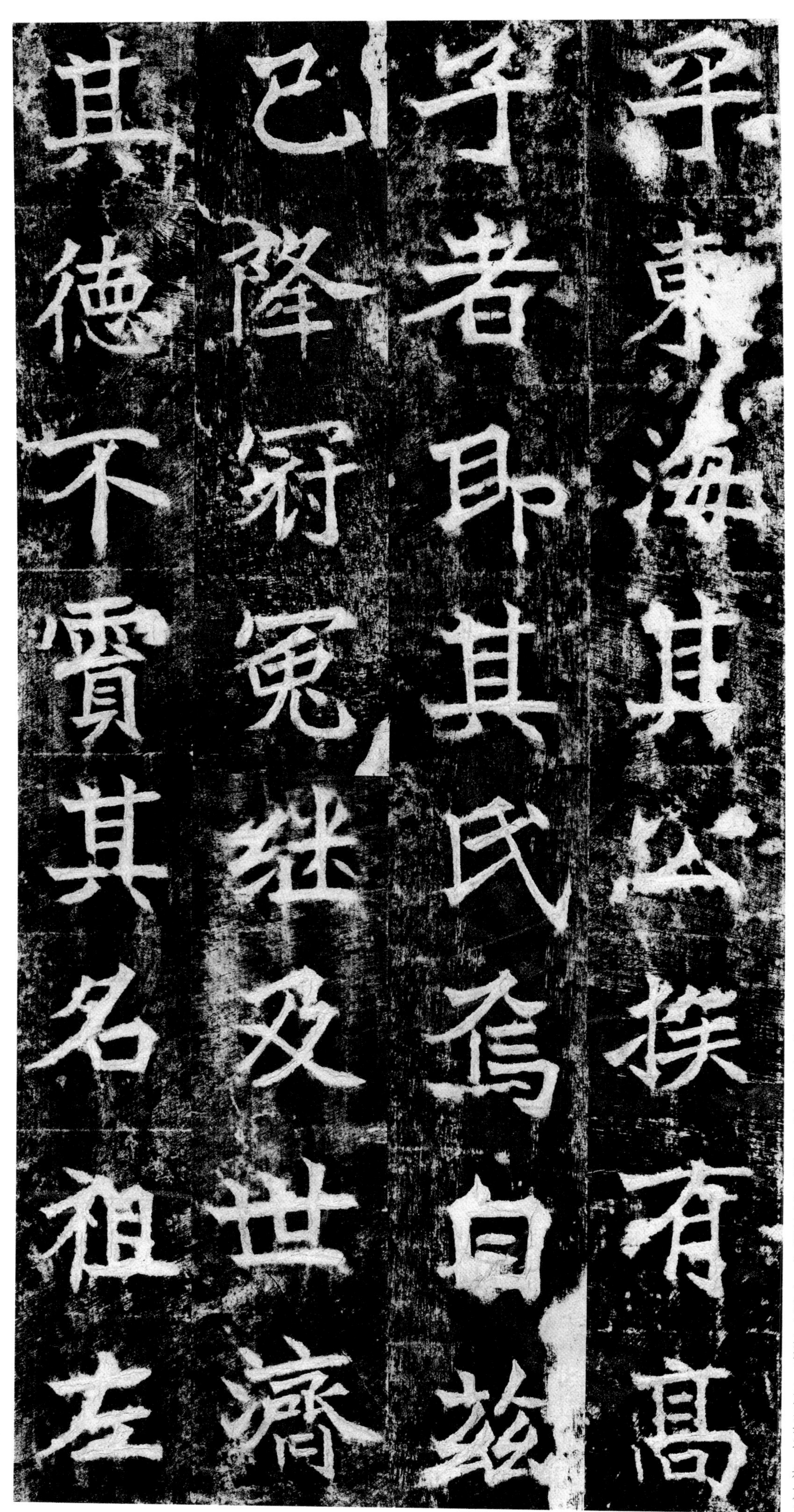

平東海，其公族有高／子者，即其氏焉。自茲／已降，冠冕繼及，世濟／其德，不霣其名。祖左／

即其氏焉：關於高姓的來源大略是，呂尚受封於齊國，傳至七世孫文公呂赤，赤有愛子受封於高邑，稱公子高，其孫傒取祖名爲氏，爲高傒，高傒乃成爲渤海高氏的始祖。

霣：通『隕』，降。

光祿大夫勃海敬公，／純嘏所鍾，式誕／文昭皇太后，是爲世／宗武皇帝之外祖。考／

純嘏：大福。《詩經·小雅·賓之初筵》：『錫爾純嘏，子孫其湛。』

式：語助詞。誕：養育、生養。

文昭皇太后：高氏，名照容，尚書左僕射、司徒高肇之妹。十三歲入宮，後頗受孝文帝之寵。生子元恪（北魏宣武帝）、元懷（廣平王）和長樂公主。卒年僅二十三歲。宣武帝追贈其母爲『孝文皇后』，謚『文昭皇太后』。《魏書》卷一三云：『孝文昭皇后高氏，司徒公肇之妹也。父颺，母蓋氏』。

安東將軍、青州刺史／莊公，有行有禮，克荷／克構，即／文昭皇太后之弟二／

克荷：能够承當。克構：能完成前輩事業。

兄也君稟岐嶷之姿
挺珪璋之質清暈發
於載卡秀悟表乎齠
齒黃中通理之名卓

兄也。君稟岐嶷之姿，／挺珪璋之質，清暈發／於載卡，秀悟表乎齠／齒。黃中通理之名，卓／

岐嶷：形容幼年聰慧。

暈：此同『暉』。清暉：日月的光輝。比喻人的良好資質。

珪璋：比喻高尚的品德。

卡：同『弄』。《康熙字典》：『《海篇》同弄。』載弄：指誕生之時。語出《詩·小雅·斯干》：『乃生男子……載弄之璋』；『乃生女子……載弄之瓦。』

齠齒：幼童新生的恒牙。

黃中通理：人之內德。《易·坤》：『君子黃中通理，正位居體，美在其中，而暢於四支，發於事業，美之至也。』

白華：形容孝行的典故。典出《詩經》。

爾不群之目，固已殊／異公族，見稱於匠者。／至於孝以事親，則白／華不能比其潔；友于／

兄弟，則常棣無以方╱其盛。敬讓著自閭閻，╱信義行於邦黨。若夫╱秉心塞淵，砥礪名教，╱

常棣：即『棠棣』，形容兄弟友愛的典故。語出《詩經·小雅·棠棣》。

閭閻：里巷。

秉心塞淵：持心篤厚。《詩經·鄘風·定之方中》：『匪直也人，秉心塞淵。』

伏膺文武，不肅而成，╱則綴軌於前脩，同規╱於先達者矣。雖綺襦╱紈絝，英華於王許；龍╱

王許：晉王裒與許孜的并稱。二人皆以孝行稱於世。一説爲晉王羲之與許邁的并稱。

馬流車，陸離於陰鄧。／而不以富貴驕人，必／以謙虛業己，是故夷／門識慕，蹇步知歸，我／

龍馬流車：駿馬麗車。

陰鄧：東漢陰皇后和鄧皇后的并稱。

陸離：此處形容車馬光彩絢麗貌。

夷門：典出《史記》卷七十七《魏公子列傳》：『魏有隱士曰侯嬴，年七十，家貧，爲大梁夷門監者。公子聞之，往請，欲厚遺之，不肯受，曰：「臣脩身絜行數十年，終不以監門困故而受公子財。」公子於是乃置酒大會賓客。坐定，公子從車騎，虚左，自迎夷門侯生。侯生攝敝衣冠，直上載公子上坐，不讓，欲以觀公子。公子執轡愈恭。』

德如風，物應如響。弱／冠以外戚令望，除秘／書郎。俵驎閣而來儀，／瞻石渠而式踐。於是／

驎閣：同『麟閣』。『麒麟閣』的省稱，漢代在未央宮中所建，漢宣帝時曾畫霍光等十一功臣像於閣上，以表揚其功績。

俵：向，向着。

石渠：石渠閣，西漢皇室藏書之閣。

縱容校文之職，翻飛／鵷鷺之間，容止此而／可觀，清風茲焉已穆。／既而重離載朗，東朝／

鵷鷺：鵷和鷺飛行有序，比喻朝官的序列，引申指有才德的人。

校文：校勘文章。

重離：指太陽，古以喻帝王，語本《易·離》。

東朝：即東宮。古爲太子所居。

始建，杞梓備陳，瑶金/必剖，僉求其可，帝曰/爾諧。遷太子洗馬。夙/夜惟寅，媚兹儲后，仰/

帝曰爾諧：皇帝説你可以勝任。

寅：恭敬。《説文解字》：『寅，敬惕也。從夕，寅聲。』

儲后：儲君，指太子。

敷四德之美，式揚三〻善之功，同禁聯坊，亡〻有出其右也。於時六〻宮無主，百姓未繫，周〻

姉：同『姊』。

似：通『姒』。莘姒：周文王妃太姒爲有莘之女，生武王。後用爲賢母的典故。

淑問：美好的聲名。

爰大邦，罔逾莘似，以／君姉有神表淑問，拜／爲皇后。君戚愈重，□／愈沖，寵日益，權日損，／

由是有少君退讓之╱風，無長淵驕奢之患。╱故赫赫之望，具瞻允╱集，楨幹之期，匪朝伊╱

少君：典出《後漢書》卷八十四《列女傳・鮑宣妻傳》：「勃海鮑宣妻者，桓氏之女也，字少君。宣嘗就少君父學，父奇其清苦，故以女妻之，裝送資賄甚盛。宣不悅，謂妻曰：『少君生富驕，習美飾，而吾實貧賤，不敢當禮。』妻曰：『大人以先生脩德守約，故使賤妾侍執巾櫛。既奉承君子，唯命是從。』宣笑曰：『能如是，是吾志也。』妻乃悉歸侍御服飾，更著短布裳，與宣共挽鹿車歸鄉里。拜姑禮畢，提甕出汲。脩行婦道，鄉邦稱之。」

長淵：顔師伯，字長淵。《宋書・顔師伯傳》：「（師伯）驕奢淫恣，爲衣冠所嫉。」

具瞻：衆望所瞻。語出《詩經・小雅・節南山》。

允集：積聚、彙聚。

楨幹：築墻時所用的木柱，比喻起重要作用的人物。

期：期望，期許。

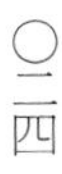

暮。而不幸短命，春秋／廿有六，以延昌三年／歲次甲午四月己卯／朔廿六日乙巳遘疾／

匪朝伊暮：又作『匪朝伊夕』，表示不止一日。

延昌三年：五一四年。

卒於京師。二宮悲慟，/九族悼傷，同位駿奔，/遐邇必至。/天子迺詔有司曰：故/

二宮：指皇帝與太子。

同位：職位相同的官員。

遐邇：遠近。

宅兆：墓地。

奄彫：忽然凋謝。奄：突然地。

夏彩：夏日正是作物蓬勃茂盛而光彩照灼的季節，故謂之「夏彩」。

追陟：追封，追升。

太子洗馬高貞，器業／始茂，方加榮級，而秀／穎未實，奄彫夏彩。今／宅兆有期，宜蒙追陟，／

可特贈龍驤將軍營
州刺史以旌戚儁其
墓次所須悉仰本州
營辦臨葬又特給東

可特贈龍驤將軍、營／州刺史，以旌戚儁。其／墓次所須，悉仰本州／營辦，臨葬又特給東／

戚儁：外戚中的俊秀之才。

園龍輀，加謚曰『懿』。凡/我僚舊，爰及邦人，咸/以君生而玉質，至美/也；幼若老成，至慧也；/

東園：掌管陵墓内器物、葬具的製造與供應的官署，古屬少府。

龍輀：又作『龍輴』。本指帝王的喪車。此處泛指喪車。

孝友因心，至行也；富／貴不驕，至謙也；君以／此終，亦以此始，烏可／廢而不録，使來者無／

惟高惟國，世有龍光。／自茲作氏，不賓其芳。／於鑠光祿，饗茲戩穀。／赫矣安東，純嘏斯屬。／

饗：通『享』。

戩穀：福祿。《詩經·小雅·天保》：『天保定爾，俾爾戩穀。』毛傳：『戩，福；穀，祿。』

於鑠：嘆詞。表讚美。《詩經·周頌·酌》：『於鑠王師，遵養時晦。』

相與：共同參與。

聞焉？迺相與採石名／山，樹碑墓道。其詞曰：／厥緒皇□，□□□□。／堯諮四嶽，周命呂望。／

或女或妹，匪娀伊僕。／陟彼昭陽，光我邦族。／山川降祉，餘慶不已。／敬公之孫，莊公之子。／

如琇如瑩，爲山伊始。／人知其進，莫見其止。／古人有言，膏梁難正。／於乎我君，終和且令。／

膏梁：同『膏粱』。俗稱膏粱子弟，指富貴人家嬌生慣養的子弟。　爲山伊始：比喻建功立業之初。

牧己謙謙，與物無競。／孝友因心，能久能敬。／爰始來儀，濯纓鱗沼。／翽羽儲扃，其容皎皎。／

來儀：比喻傑出人才的來臨。

濯纓：洗濯冠纓。此處指出任官職。

鱗沼：靈沼，宮中池沼的美稱，喻指帝王的恩澤所及之處。《詩經・大雅・靈台》：『王在靈沼，於牣魚躍。』

翽：鳥飛聲。《詩經・大雅・卷阿》：『鳳凰于飛，翽翽其羽。』鄭玄箋：『翽翽，羽聲也。』

儲扃：太子之門。

方摶九霄，載飛載矯。／天道如何，是久是天。／生榮死哀，禮有加數。／曷用寵終，英英裄輅。／

方摶九霄：將要乘風直上九霄。《莊子·逍遥游》：『摶扶摇而上者九萬里。』

載：乃，於是。

裄：通『絎』。衣服的緣邊。

輅：古代車轅上用來挽車的横木，亦指大車。

其人雖往，其風可慕。/玄石一刊，清徽永鑄。/大代正光四年歲次/癸卯□管黃鐘六月/

正光四年：五二三年。

（丙辰朔）□（日）□□。／

歷代集評

是碑（《高貞碑》）爲石刻最整峭者，與《張猛龍》一石同在正光時，可稱雙絶。

——清 莫友芝《金石筆識》

我朝乾隆、嘉慶間，元所見所藏北朝石碑，不下七八十種。其尤佳者，如《刁遵墓志》、《司馬紹墓志》、《高植墓志》、《賈使君碑》、《高貞碑》、《高湛墓志》、《孔廟乾明碑》、《鄭道昭碑》、《武平道興造像藥方記》，建德、天保諸造像記，《啓法寺》、《龍藏寺》諸碑，直是歐、褚師法所由來，豈皆拙書哉？

——清 阮元《南北書派論》

書法方正，無寒儉氣。

——清 楊守敬《平碑記》

王司寇《金石萃編》僅載此碑目，云未睹此碑。蓋嘉慶中初出土，司寇未及見。北魏書字淆亂已甚，惡劣亦甚。獨此碑剛健中正，樹歐褚之先聲，當爲北魏善書，今之習北魏者亦當以此爲矩。

——清 徐樹鈞《寶鴨齋題跋》

漢碑波掣，亦有兩端之力過於中畫者。魏《高貞碑》亦然。包氏之説，此可以參其變也。安吴中畫豐富之説，出自懷寧。惟小篆與古隸，可極中滿之能事。八分勢在波發，纖濃輕重，左右不能無偏勝，證以漢末諸碑可見。故中畫蓄力，雖爲書家秘密，非中郎、鍾、衛之法也。

——清 沈曾植《海日樓札叢》

六朝人碑之常見而平正穩妥者，尚有《李仲璇》、《敬顯儁》、《高慶碑》、《暉福寺》、《凝禪寺三級浮圖》等一派，皆整飭可臨，流弊也少。我之所以斤斤於防弊者，蓋有感於李瑞清、陶濬宣以來之惡習染人太深，傖野過甚。正如趙之謙、吴昌碩之畫，易爲淺學所藉口耳（李、陶早年原也致力甚深）。

——陸維釗《書法述要》

圖書在版編目（CIP）數據

高貞碑/上海書畫出版社編.——上海：上海書畫出版社，2013.8

（中國碑帖名品）

ISBN 978-7-5479-0659-0

Ⅰ.①高… Ⅱ.①上… Ⅲ.①楷書—碑帖—中國—北魏

Ⅳ.①J292.23

中國版本圖書館CIP數據核字（2013）第186597號

中國碑帖名品［三十七］

高貞碑

本社 編

責任編輯 馮 磊
釋文注釋 俞 豐
審 定 沈培方
責任校對 郭曉霞
封面設計 王 峥
整體設計 馮 磊
技術編輯 錢勤毅

出版發行 上海書畫出版社

地址 上海市延安西路593號 200050
網址 www.shshuhua.com
E-mail shcpph@online.sh.cn
印刷 上海界龍藝術印刷有限公司
經銷 各地新華書店
開本 889×1194mm 1/12
印張 3 2/3
版次 2013年8月第1版
2021年10月第5次印刷

書號 ISBN 978-7-5479-0659-0
定價 42.00元